제 11 화

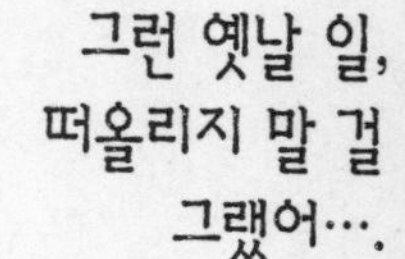
그런 옛날 일,
떠올리지 말 걸
그랬어….

여름
코믹마켓
2일차
종료.

에리리와의
아주 약간의
엇갈림.
그로 인해 생겨난
너무나도
깊은 골.

결국 그 탓에
망연자실해진
나를 카토가
집까지
래다줬다.
그야말로
완벽한
얼간이
주인공
같은
꼴이었다.

제 11 화 예. 또 주인공을 얼간이로 만들었습니다.

시원찮은
~egoistic-lily~
그녀(히로인)를 위한
육성방법

주우우우우...
…그래서
카토 양.
대체 뭐가
어떻게
된 거야?

시원찮은 그녀를 위한 육성방법 ~egoistic-lily~
SAENAI HEROINE NO SODATE-KATA VOLUME THREE
3

사와무라 스펜서 에리리 Sawamura Spenser Eriri

영국인 아버지와
일본인 어머니를 둔
작은 몸집의
혼혈 미소녀.
캐릭터 디자인과
원화와 배경 담당.

본작의 주인공이자
극도의 오타쿠.
메구미와
"운명의 만남"을 가진 후,
미소녀 게임 기획을 세웠다.
에리리와는 소꿉친구 사이.

아키 토모야 Aki Tomoya

카토 메구미 Kato Megumi

토모야와
"운명의 만남"을 가진 후,
자신을 『메인 히로인』으로 삼는
미소녀게임 기획에 참가.
캐릭터성이 없다.

CHARACTER

SAENAI HEROINE NO SODATE-KATA VOLUME THREE

고교생·아키 토모야는 어느날, 어떤 소녀(카토 메구미)와 "운명적인 만남"을 가진다. 그 만남 후, 토모야는 최강의 미소녀게임을 만들기로 결의한다. 그리고 소꿉친구이자 인기 동인 작가인 사와무라 스펜서 에리리를 서클에 끌어들이려 한다. 그런 와중, 동인 이벤트에서 에리리와 토모야 사이에 발생한 사소한 엇갈림이 커다란 골을 만든다. 과연 미소녀 게임 제작은? 그리고 에리리와의 《화해》는—?!

카스미가오카 우타하 Kasumigaoka Utaha

토모야의 선배이자
학년 제일의 우등생.
실은 대인기
라이트노벨 작가이며,
시나리오를
담당하고 있다.
입만 열었다 하면
독설이 튀어나온다.

Senior

하시마 이즈미 Hashima Izumi

CONTENTS

SAENAI HEROINE NO SODATE-KATA
VOLUME THREE

아.
어서 오세요.
카스미가오카
선배.
어서
오세요
라니….
여기,
윤리 군의 방
맞지?
그래요
스윽
그건
그렇고.
어떤 이유로
나를
부른 거야?
나도 여러모로
바쁘니까
세 줄 이하로
요약해서
설명해주면
좋겠어.

추욱…

그게 말이에요.
실은 꽤
심각한 사태가
벌어졌어요.
서클 존속
자체가
위험한 것
같아요.
……

…즉,
지금 이 자리에
없는 누군가와
상관있다는 거야?
음~ 뭐,
그런 것
같아요.
…아마도요.
그런 옛날 일,
떠올리지 말 걸
그랬어.

그 후로
나는 침대에
들어간 후,
눈을 감지도,
잠들지도
않은 채
그저
무기력하게
시간을
소비하고만
있었다.
눈을 감으면
어둠 속에
떠오르기
때문이다.
그렇게
슬픈 듯이
두려워하는
그 녀석의
얼굴 따위
두 번 다시
보지
않겠다면서
머나먼
과거 속에
묻어버렸을
텐데.
약
윽…?!

움찔
우와아아 아아아아 아아앗, 우타하 선배?!
얌전히 있어, 윤리 군.
그렇게 떠들어대면 조용히 대화를 나눌 수가 없잖아.
후다닥
저기, 카스미기 오카 선배….
대화를 나누려는데 왜 내 침대 안에 들어온 거예요?
오호라. 확실히 윤리 군은 엄청난 얼간이네.
미소녀 게임 3대 얼간이 주인공이 될 생각인 거야?
죄송하지만 그런 심한 말까지 들을 짓을 하지는 않은 것 같은데요.
그럼 사와무라 양이 전면적으로 잘못했다는 거야?
그녀야말로 미소녀 게임 3대 악녀 히로인에 어울린다는 거네?
그러니까, 최악의 캐릭터 선정 토크 같은 건 그만 하자고요!

그 후,
오늘만이
아니라
요즘 들어
그녀와
나 사이에
있었던 일들을
이야기했다.

에리리가
…
이즈미의
책에 가진
감정.
이오리와
있었던 일.
스카우트
제의.
승부.

그런
서클 존속을 건
내일의 싸움이
벌어지기도 전에
부전패로
끝나게 생겼다는
사실.
…그 안에는
우리의
개인적 사정이
아주 약간
얽혀있다는 것까지
전부 이야기했다.
왜냐하면
이 두 사람에게는
이야기해도
상관없으니까.
에리리도,
나도,
우타하 선배도,
카토도,
같은 서클의
멤버니까
함께
창작해
나가는
동료니까.
창작상의
고민이라면
창작자 모두가
함께 해결해나가면
될 것이다.

그건 그렇고 골치 아프게 됐네.
예….
리리 녀석, 리분별을 무 한다고나 까….
정말 골치 아프네….
당사자가 완전 남 일이라고 생각하고 있으니까 말이야.
…그게 무슨 소리예요?
사와무라 양은 지금 존재하는 위기를, 그것도 정확하게 꿰뚫어봤기 때문에
그 여자애를 그렇게 두려워하는 거라고 생각할 수밖에 없어.
무슨 소리를 하는 건지 모르겠어요.
그리고 그걸 창작상의 고민으로 치부하다니
윤리 군은 정말 저질 둔감 주인공이네.
무슨 소리를 이하 생략!
요한 본이니까 번 했어요,

당연히 무서울 거야….
사와무라 양은 모든 것을 빼앗긴 기분일 테니까 말이야.
크리에이터로서의 존엄도, 소꿉친구라는 포지션도….
소꿉친구 쪽은 해당범위가 너무 좁다고 생각하는데요.
게다가 이즈미 양이 윤리 군을 그렇게 따르다니….
중반에 등장했지만 초기 파라미터가 너무 높아서, 노린 여자애의 공략에 실패해도 반드시 주인공에게 고백해주는 구제 히로인 같은…
그 애, 좀 짜증 나네.
더했다간 수습 불가능한 사태가 벌어지니 그쯤 해 주세요.

그런데 윤리 군은 어떻게 하고 싶어?

어떻게 하고 싶냐고요? 그야….
……
……

나는 대체 어떻게 하고 싶은 거지?
그 녀석과의 과거와 결판을 내고
그 녀석과의 현재를 어떤 식으로 정의하고
그 녀석과의 미래에 어떤 결론을 내고 싶은 걸까.

사와무라 양이 다시 일어섰으면 좋겠어?

그야…
당연하죠.
왜냐하면 슬럼프에 빠진 에리리는
그림을 그리지 못하는 에리리는 상상조차 하기 싫다.
기운을 북돋아주고 싶어?
뭐 그 녀석 계속 처져 있으 곤란하니까요
에리리가 화를 내지 않는다면… 뭐, 평화롭기는 하겠지만
사람에게는 적성이라는 게 있잖아. 그리고 싸울 맛이 안 날 거라고.

지켜주고
싶어?
아니,
그게
무슨….
꼭 끌어안아
주고 싶어?
걸요?!
그녀를 좋아해?
사랑해?
떨어지고 싶지
않아?
이야기 도중에
메인 히로인이
변경되는 거야?
이게 무슨
사랑에
빠진
세트로놈』
이에요?!

정말 성가신
애들이네…
결론을 내릴 수 없다면 차라리 아무 짓도 하지 말고 시간의 흐름에 맡겨보는 건 어때?

하지만 그랬다간 겨울 코믹마켓까지… 우리의 게임을 완성하지 못할 거예요.

이제 와서 원화가를 교체할 수도 없다.
우리 서클의 간판 일러스트레이터는, 누가 뭐라고 해도 카시와기 에리….
에리리 뿐이다….

약간 냉각기간을 가지면 아무 일도 없었다는 듯이 원래대로 되돌아올지도 몰라.

그건…
그 녀석만큼은 절대 그럴 리 없어요.
왜 그렇게 단언할 수 있는 건데?

그 녀석은 질질 끄는 편이거든요…. 그것도 엄청 오랫동안 말이에요.
저기 우타하 선배….
우리, 그 후로 아직 제대로 화해하지 않았어요.
뭐…?
에리리가 먼저 사과할 리 없고, 나도 아직 사과하지 않았거든요.
하하
여전히 미적지근한 상태예요.

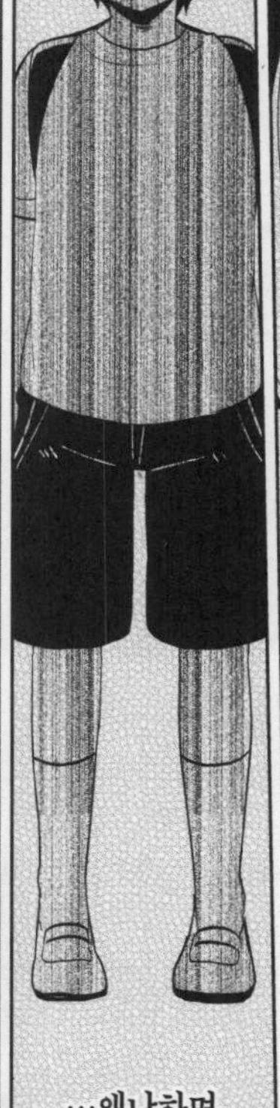
그리고 아마 그 녀석도 나를 완전히 믿지 못할 거야.

정말 흔하고 별것 아닌 사건이, 우리의 마음속에 깊숙하게 박혀 있어.

그 상처가 완전히 아물지 않은 채, 어중간하게 다시 교류를 시작했을 뿐이라고.
…왜냐하면 나는 아직 그 녀석의 모든 것을 용서하지 못했어.

정말 바보 같죠?
그 녀석.
정말 바보 같죠?
나도….
옛날 일을 이렇게까지 질질 끄는 녀석은, 내가 아는 사람 중에는 단 한 명뿐이다.

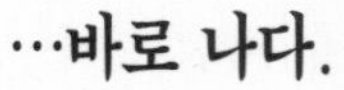

…바로 나다.

밖에 나가서 머리 좀 식히고 올게요….
덜컹
탕
윤리 군….

나는
어떻게 하고
싶은 거지?
어떻게
해야만…
하는 걸까?
요즘
에리리와 나는
서로에게 화내고,
고함지르고,
투덜대고…
아주 약간
함께 웃었다….
에리리는.
그렇다.
소꿉친구이며,
소꿉친구이며…
최고의….

응?
씨익—
토모야
군이잖아?
덜컹
어머,
진짜네!

1,800
400
60/300
60/100

아…
사와무라네 아저씨…와 …아주머니.
오래간만이야. 토모 군.
제 11 화 END

시원찮은 그녀(히로인)를 위한 육성방법

~egoistic-lily~

제 12 화 시원찮은 히어로를 위한 육성방법

자아.
토모야 군, 좋아하는 걸 시키렴.
레어 치즈케이크 하나랑~
아, 아뇨….
허둥
괜찮아요.
에리리의 부모님을 대체 얼마만에 뵌 거지.
영국 출신 외교관이자 순수 오타쿠인 에리리의 아버지.
그리고 그런 남자를 사로잡아 국제결혼한 부녀자(腐女子) 어머니.
이 겉모습만 봐서는 상상이 안 되겠지만, 에리리를 오타쿠로 기르고, 나를 이쪽 세계로 끌어들인 장본인들이지….

그런데… 왜 그런 데서 죽은 생선 같은 눈을 하고 있었던 거지? 무슨 일 있었던 거니?
움찔
…
옛날에는 그렇게 눈을 반짝이면서, 그래그래. 항상 친구인….
아. 맞아.
이오리 군과 러브러브 했으면서….
꺄아… 후후후.
괜찮지?
안돼
멋대로 저를 수(受)로 삼지 말아 주세요!
이… 이오리…
어머나. 물론 토모야 군이 숙맥 공(攻)….
하아
하아
정말 괜찮아?
괜찮다고 했잖아
아아, 정말!
무덤 팠어!
죽도 평소처럼 날카롭지가 않네

어이 어이.
미안하네. 토모야 군.
그런데 왜 그런 얼굴로 돌아다닌 거지?
……

그건… 어제.
여름 코믹마켓에서 돌아온 후, 방에 틀어박힌 누구 씨와 관계있는 거니?
또르릉
—…윽.

이 두 사람의 딸을 슬프게 하고, 상처 입힌 것은 틀림없는 사실—.
—으.
그 애—.
죄… 죄송해요….

그 애,
친구가
적었어.
어릴 적부터
토모야 군과
붙어 다녔지.
공부 같은 건
안중에
없다는 듯이
그림만
그려댔고….
토모야 군이
칭찬해줬다면서
매일 같이
좋아했단다.
그러니
어릴 적부터의
친구는
토모 군밖에
없을 거야.
어떻게
책임져줄
거니?
— 방금
작은
목소리로
뭐라고
했지?

그 애, 초등학교 이후로는 묵묵히 그림만 그렸단다.
그야말로 뭔가를 잊으려는 것 같기도 했고, 뭔가를 쓰러뜨리려는 것 같기도 했어.
친구 이야기 같은 건 들은 기억도 없을 정도야.
그래도 요즘 들어 토모 군 이야기를 조금… 아주 조금이지만 하게 된 후로
그 애는 정말 즐거워 보였어.

그러니 너에게 고마워하면 했지 화낼 이유는 없단다.
음음
……

무슨 일이 있었는지는 모르겠지만
앞으로도 에리리를 잘 부탁해.

꾸욱
…사와무라네 아저씨, 아주머니.
실은—….

그 후 나는
에리리와의
지금 관계에 대해
구체적인 부분을
생략하면서
아주 조금만
이야기했다.

착각,
엇갈림,
실망.

그런 식으로
단추를 몇 개나
잘못 끼운 탓에
발생한
지금의 뒤얽힌
상황.

그리고
지금의 내가
성실하려 한 탓에
에리리에게
불성실하고
말았다는 사실.

세간에서
본다면
분명 흔하고
특이할 것
없으며,

좀 더 어른이
되고 나면
"왜 그런 일로
고집을
피웠을까."라며
웃고 말 일이다.

하지만
그런 흔한 일이
당시의 우리의
마음속에
깊숙하게
박혔으며

그 상처가
완전히 아물지
않은 채
우리는 다시
교류를
시작했다.

그러니까 어떻게든 하고 싶어요.
이번에야 말로.

아직
신용하지는
못하지만,
지금까지의
일을 전부
용서한 것도
아니지만
그래도
그 녀석은
소중한
동료이고
분명
옛날에도
그랬어요.

그러니
옛날처럼
다시 멀어져
버리는 게…
너무
무서워요
….
나,
어떻게 하면
좋을까요….

그럼 대책을 생각해보자.
예…?
나는 토모 군× 이오리 군도 아깝지만….
그게 무슨 소리예요?
그래.
바보 같은 이유로 절교했다면
바보 같은…
바보 같은 방법으로 화해하면 되지 않을까?
방법?
빙긋

소꿉친구
히로인을
공략하는
거야.
벌떡

토모 군!

머나먼 기억, 소중한 추억, 어릴 적의 약속.
그런 소꿉친구의 이점을 전부 이용해서 에리리 플래그를 세우렴!
처억
하지만… 그 녀석이 그런 것에 걸려들 리가….
그렇게 깊게 생각하지 않아도 괜찮아.
저기, 토모 군.
에리리를 어떻게 생각하니?
싫어하니?
어….
어… 아뇨….
…싸우기는 했지만 싫어할 리가….

그럼
좋아해?
좋아하지 않을 리가….
소곤
걱정하지 말렴.
분명 화해할 수 있을 거야.
토모 군, 너는 그 아이의 소꿉친구잖니.

후다다
다다닥
우타하
선배!
쾅
남의
침대에서
뭐하는
거예요!
윽!
어서와—
꽤 빨랐네.
윤리 군.
다시
재기하는 게
말이야.
뭐?
그것보다…
선배!
카토!
부탁이에요.
『사와무라
스펜서 에리리
루트』 작성을
도와주세요!
번쩍

흐음,
무슨 말인지
알겠어….

윤리 군이
어리광 부리면서
애원하는데 어떻게
거절하겠어.
하지만
그 전에 다시
한 번
확인할게.

사와무라 양이
다시
일어섰으면
좋겠어?
예.

기운을 북돋아주고 싶어?
시익…
예.
지그시…
지켜주고 싶어?
다 같이요.
…화해 하고 싶어?
예….
이번에야 말로!

※이타샤(痛車) : 만화나 애니메이션, 게임의 캐릭터나 로고를 본뜬 스티커를 붙이거나 도장(塗裝)한 차를 말한다.

수렁이 부글부글 끓듯 창작의욕이 솟아올라!
오늘은 안 재울 거야. 윤리 군.
예. 물론이죠.
카토도 함께할 거지?
아, 응. 어차피 나한테는 결정권이 없잖아.
동료들이 함께….
초등학생 이후로 전혀 성장하지 않은,
사로잡힌 중2병 공주님을 구하기 위한 싸움이 시작된다.

기다려,
에리리.
내가 너의
메인 히어로가
되어 주겠어.

떠들썩
왁자
지껄
저벅
저벅
하아…

이럴 줄
알았으면
그런
옛날 일,
떠올리지
말걸
그랬어―.
왜 그런 말을
한 거지….
나는….

덥석
여기야,
에리리!
벌떡

스페셜 이벤트 스타트!!

MEGUMI

시원찮은 그녀를 위한 육성방법

히로 인

~egoistic-lily~

주인공의 이름을 입력해주십시오
에 리
OK
이곳, 엘드리아 왕국의 여름 축제,
통칭 『엘드릭 카니발』.
왕궁의 발코니에서 지켜보고 있던 에리는—
하늘을 가득 채운 아름다움에 슬픈 표정으로
답할 수밖에 없었다.

그 이유는 마을 아낙과 즐겁게 담소를
나누는 그 기사를 봤기 때문이다.
그 순간, 바로 마차에서 내리고 싶었다.
그 두 사람 사이에, 주위에서 즐겁게 이야기를
나누고 있는 사람들 사이에, 끼어들고 싶었다.
왕녀인 자신이 끼어들면 마을 사람들이
깜짝 놀랄 것이며, 경비병들에게 폐를 끼치게
될지도 모르지만, 그래도 그러고 싶었다.

하지만, 에리는 그러지 않았다.

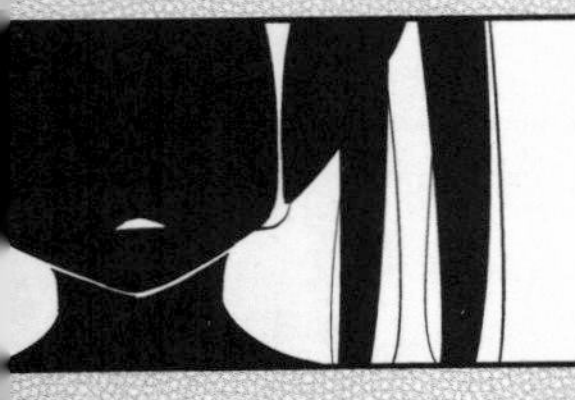

그들과 자신은 입장이 다르다….

에리가 느끼고 있는
『자신이야말로 저 기사에게 어울리지 않는다』는
콤플렉스 때문에 그러지 못한 것이다.

어린 시절의 두 사람은 축제 때만이 아니라 언제나 함께였다.

하지만 언제부터인가 왕녀라는 지위가,
기사가 되고 싶다는 꿈이 두 사람을 떼어놓았다….
지금은 한 달에 한 번뿐인 알현의 순간만이,
에리가 그와 함께할 수 있는 찰나와도 같은 시간이었다.

에리는 언제부터인가 멀어져버리고 만,
어렸을 적부터 항상 함께해온 그 사람을 떠올리며,
조용히 눈물을….

에리… 여기야.
아….

제 13 화 에리리 스페셜 이벤트
여기야. 에리리!
앗?!

우리가 사는
이 구의
연례행사인
불꽃놀이
대회가
열리는 밤.
사와무라 가에서는
매년 지인들과
그들의 가족을 불러
불꽃놀이를 즐기는
홈 파티가 열린다.

뭐 하는
거야,
토모야….

쉿.
목소리
낮춰.

나랑 같이
빠져나가지
않겠어?
에리리….
어…?

오래간만에
나와 마을에
가자.
너 지금
무슨….
어라?
혹시…?

리틀랩
너, 성기사 세르비스 흉내 내는 거야…?

지금은 토모야라고 불러 주십시오.
…전하.

……

축제의 마지막을 나와 함께 즐기자.
…안 부끄러워?
부끄러워! 죽도록 부끄럽지만!
아직은 죽을 수 없어!

그렇기에 나는 믿을 수밖에 없다.
내가 소꿉친구인 성기사 세르비스이자 소꿉친구인 아키 토모야라는 사실을.
왜냐면 나는.

너와
화해할 때까지
죽을 수 없단
말이야.

이건 불법
침입이잖아….
경보 울릴 거야.
경비회사
사람들이
몰려올 거라구.
바보…
다른 사람에게
들키면
어떻게
할 건데?
그러니까
이 손을
잡아줘,
에리리….
으….

움찔
아.
아아….
그딴 건
하나도
안 무서워!

음?
거기 있는 건
누군가?
거기서
뭐 하고
있는 거지?
!!
사, 사카키
아저씨?!
아,
저기,
그게….
에리리!
가자!
부탁이야!
내 손을
잡아줘!
뭐…!
하,
하지만,
나 드레스
입어서….
찢어지면
내가
얼마든지
변상해줄게!
그러니까
빨리…
빨리!
~으!
어, 어이,
에리리 양!

…사실대로 말하자면 에리리 본인 이외의 다른 사람에게는 이미 양해를 구해뒀다.
소꿉친구 히로인을 공략하는 거야, 토모야 군!

…대처 뭘 어떻게 하면 되는데요?
그러니까 말이야…
소곤 소곤
예, 예엣~?!
리틀랩을 리얼로 하라고요?!

―…그런 작전이고… 우리 집의 시큐리티는 신경 쓰지 않아도 돼.
하지만 의상은 어떻게 한다….
!!
그건 내가 구할 수 있을 거예요!
다행이다
그럼 남은 뒷일은 우리 쪽에서 손써둘게.
가, 감사합니다!

그럼 지금
바로 돌아가서
다른 애들이랑
상의할게요!
벌떡
잠깐만,
토모야 군.
예?
이 7년 동안
두 사람을 정말
걱정했어.
7년 전,
그 애의 플래그가
한 번 꺾인 후
계속
공략되지 않은 채
어중간한
상태였어.
그러니 그 애의
플래그를—…
꺾인 플래그를
다시 세울 수 있는 건
7년 전의 토모야 군
뿐이라고 생각해.
그러니
이번에야말로
그 애를 제대로
공략해줘.
토모야 군.
맡겨만
주세요…!

털썩
아야야
야야….
왜 그래?
다리…
삔 것
같아.
괜찮아?
괜찮아.
괜찮….
아얏.
어,
어이….
역시
무리였어….
저기,
토모야
….
너만이라도
빨리
도망쳐.

에리리….
두근
그래.
세르비스
시나리오에
이런 장면이
있었어….
세르비스의
손을 잡고
나무에서
내려온 후,
도망치려 한
주인공.
하지만 그녀는
착지에 실패해
다리를 삐고
만다.
세르비스는
울먹이는
주인공 앞에서
살며시 무릎을
꿇더니….
같이
가줬으면
하는 장소가
있어.
…잠시만
참아주겠어?
스윽
응….

하아
하아
여기는….

파앙아야
쉬이이잉…
학교 건물…
어느새 새로 지었나 보네.
그러고 보니 재작년에 새로 지었을 거야.

하아
하아
하아
……
부들

흥. 근성 없다니깐.
저벅
저벅
저벅

역시 다리 다치지 않았구나.

새로
지었는데도
여전히
촌스럽네.
뭐,
공립이잖아.

교정도
건물도

풀장도

완전히
초등학교의
정석이라고
해도 과언이
아닐 만큼
평범했다.

파아아아아양

……

비겁
해.
토모야…
뭐가
화해야.
…이제
와서.

에리리…
그렇다.
이곳은 우리의
『나쁜』 추억으로
가득 찬
초등학교다.

좀 전의 그거….
혼자서 생각한 건 아니지?
그래…. 모두가 도와줬어….
그렇다. 사실 시나리오는 카토와 우타하 선배
그리고 사와무라 가의 전면 협력을 통한 완벽한 백업 태세
에리리 완전 공략

모두에게 도움 받다니 비겁해.
리틀랩을 이용한 건 더 비겁하다구….
네가 나를 빠지게 만든 첫 번째 타이틀이잖아.

지금은 너와 이즈미라는 애를 이어주는 타이틀이지만 말이야….

에리리가
리틀랩에
과잉 반응한
가장 큰 이유는
바로 그것이다.

리틀러브
랩소디
우리 집에
있는 초대
『리틀러브·
랩소디』는
초등학교
3학년 때,
에리리에게
받은 거다.

그녀가
나에게 준,
처음이자
마지막
생일 선물.

나는
리틀랩에
완전히
빠져들어
주위에
포교했고…
그것이
하시마
이즈미라는
햇병아리
천재를
낳았다.

그 두 사람에게 있어
너무나도 소중한
이 교류는
자초지종을 아는
제삼자가 본다면
『사와무라 에리리가
한 일의 되풀이』로
보일지도 모른다.

그 자초지종을
아는 제삼자는
이 세상에
단 한 명뿐이다.

토모야…. 그 애를 카스미가오카 우타하를 볼 때와 똑같은 눈빛으로 쳐다봤어.
그건….
정은 할 수 없다. 말 충격적이었던 것이다. 책은『사랑에 빠진 트로놈』이후로, 내 마음속에서 가장 히트한 작품이다….
좋은 책과 만나서 정말 좋겠네. 게다가 그 책을 만든 사람은 소꿉친구이자 애제자라니
…기분이 최고일 거야.
하지만.

그건 내…
내 덕분이잖아….
내가 너한테 리틀랩을 포교하지 않았다면….
내가 너와, 만나지 않았다면…!
벌컥

네가 쓴 방법을
표절해서 정말
죄송합니다…
새로운
리틀래퍼를
만들어내서
죄송합니다,
라고
그렇게
말하면 돼?

사과하기에는
이미 늦었어…
…그래서 너도
사과하지
않는 거야?
뭐…?

7년 전,
네가 나에게
한 짓….
그것도
이미
늦었다고
생각하기
때문에
…그래서
사과하지
않는 거야?
무슨
소리야….
내가 너한테
무슨 짓을
했는데?

7년 동안, 말하지 않았지만 말이야….
나, 실은 너를 엄청 원망한다고!
…뭐?!

우타하 선배가
써준 스토리는
여기까지다.

여기서
부터는
…
사와무라
스펜서
에리리
공략
시나리오가
아니라
그저…
나의….

마법은
풀려버렸지만,
진짜 싸움은
지금부터다.
세르비스의
힘도,
아니,
그 누구의
힘도 빌리지
않는다.
여기 있는 건
사와무라
에리리의
소꿉친구인,
아키 토모야일
뿐이다.

돌아갈 수… 있을 리가 없잖아….
이유가 뭐야?
돌아갔다간, 나는 또 따돌림 당했을 거야….
친구라면 내가 있잖아…?
그래 봤자, 언제 또 멀어질지 모르잖아!

반년이나 걸려 만든 새로운 친구들에게 버림받았을 거라구.

그래서 오타쿠를 관둘 수밖에 없었어….
7년 동안 토모야와 이야기를 나눌 수 없었어.

관두긴
뭘 관둬!
어느새 생산하는 쪽이 됐으면서!
왜 나를 버린 거야?!
넌 나처럼 숨기려고 하지 않았잖아!
뭐…
으득…
라고?
겉만이라도 오타쿠라는 걸 숨기려고 하지 않았잖아!
너랑 이야기하면 내가 오타쿠를 관두지 않은 걸 들켰을 거야…. 또 외톨이가 되었을 거라구.
그렇게 믿을 수 없는 애들과 가식적으로 웃어대는 게 나와 애니메이션 이야기를 하는 것보다 중요했던 거야?!
그게 더 중요하다
아니다 같은 이야기가 아니잖아!

사과해!
내가 왜?!
내가 왜… 왜,
네가 잘못했잖아!
그딴 꼴을….
…왜.

머릿속이
새하얗게
될 것만
같았다.
7년 동안
쌓여왔던,
분노가
슬픔이
괴로움이

그런 잊어버렸던
감정이 쏟아져
나오는 것을
막을 수 없어서….

아
…의!

…토
토모야?
제 13 화 END

TOMOYA

시원찮은 그녀(히로인)를 위한 육성방법

~egoistic-lily~

제 14 화
화해 연기

초등학교
3학년 때,
처음으로
반이
바뀌었다.
1, 2학년 때
같은 반이었던
친구는
다섯 명밖에
없었지만
톡
톡
그 안에는
에리리도
있었다.
나는
에리리와
또 같은 반이
되어서
기뻤고,
에리리 또한
나와
같은 반이
된 것을
나만큼
기뻐했다.

그리고 우리는
예전보다 더
만화나
애니메이션,
게임에 관한
이야기를
즐겁게 나눴다.

하지만
….

바보
오타쿠!!
3학년 2학기가 시작된 직후, 나와 에리리는 집단 따돌림의 표적이 되었다.
에리리 같은 미소녀와 오타쿠 남자애가 사이좋게 지내는 좋게 생각하지 않은 녀석들이
각종 부정적인 요소로 놀려대자
상처 받은 에리리는 나와 거리를 두게 되었다.
하지만 나는 처음으로 사귄 오타쿠 친구를 잃을 수는 없었다.
그리고 에리리를 위해
홀로 외로운 싸움을 시작했다.

점심시간
방송 때
애니메이션 송을
마구 틀어대고
학교에
만화책을
가지고
와서
주위에 있는
녀석들에게
마구
포교했다.
…그리고
얼마
지나지 않아
조금씩
효과가
나타났다.
처음에는
집단 따돌림에
가담하지 않은
심약한
남자애들.
처음부터
반 안에서
붕 떠 있던
부녀자
(腐女子).
내 만화를,
애니메이션을,
게임을
재미있다고
생각하는
클래스메이트들이
늘어나기
시작했다.
그렇게
1년이나
걸려
에리리와 나의,
오타쿠 왕국을
부활시켰다.

하지만
탁
에리리! 내 말 좀 들어봐!
괴롭힘 안 당하게 됐어!
그러니까 예전처럼….
……마.
학교에서 나한테 말 걸지 마!
버럭
에…
에…리리…

하지만
에리리는
결국
그 왕국으로
돌아오지
않았다.
그래서…
나는
그 일을―.
…어라?

…토,
토모야?
아,
아냐….
젠장
윽
흐흑….
에, 리리·
바, 바보··
사과해
….
사과하라고.
나는,
에리리를
설득하러 온 건데,
에리리의 진심을
이끌어내서,
그녀와 허심탄회한
이야기를 나누러
온 거잖아.
그런 내가
먼저 울음을
터뜨려버리면
완전 얼간이
같잖아.
!!
사과
안 해….
나, 절대,
무슨 일이
있어도
사과
안 할 거야.
에…
에리리…?

토,
토모야는…
내가,
얼마나
울었는지
모르잖아…!
울먹…
울먹…
아….
토모야와
절교하고,
학교에서
말도 섞지
않게 되고,
서로를
무시할 수밖에
없게 되고!
슬퍼서,
안타까워서,
분해서,
괴로워서,
얼마나
울어댔는데!
그렇게
괴로워해야
했던 내가
왜 사과해야
하는 건데!

슬쩍
슬쩍…
그러고 보니
옛날부터
항상 내가
먼저였지.

작품에
빠지는
것도
시주하는
것도
포교하는
것도
웃는 것도,
화내는 것도,
다시 일어서는
것도

상대를…
의식하는
것도
이렇게
제멋대로인
여자애에게,
대체
왜 그랬던
걸까….
하지만….

왜, 어째서…
내 책에는 빠져주지 않으면서….
이즈미의 책에 푹 빠진 것도, 우타하 선배의 책에 빠진 것도
사과하지 않을 거야.
네가 사과하지 않겠다면, 나도 사과하지 않겠어.
네 책은 뻔하다고! 내 기대대로라고!
내가 보고 싶은 게 그려져 있다고!
그게 뭐가 나쁜 건데!
내가… 그 애보다 못하다는 거야?

그래!
네가 못하다고!
꿀려! 뒤떨어 진다고!
버럭
뭐…!
이렇게 된 솔직하게 말해주겠어
너는 실력이 없어!
그림도, 이야기도, 예상을 벗어나지 못해!
반전이 아예 없다고!
그런 작품을 보고 어떻게 가슴이 뛰냐고!

옛날부터 항상 그랬어!
너는 계속 능숙해지기만 했지 엄청나진 적이 없잖아!
봐도 무지 짜증만 난다고!
지금까지도 그녀를 서클에 영입하기 위해 아첨한 것은 아니다.
에리리를 스카우트한 것은 알고 지내는 일러스트레이터 중에서 그녀가 넘버원이었기 때문이다.
거꾸로 말하자면, 나에게 있어서의 진짜 넘버원은 아니었다는 뜻이다.

그래도…
그래도 말이야!
나도 힘껏 노력하고 있어!
토모야가 보는 데서도, 보지 않는 데서도, 죽을힘을 다해 최선을 다하고 있단 말이야!

그래도
안 되는데,
나보고
뭘 어떻게
하라는 거야?!
재능이 없으면
어떻게 하면
되냔 말이야!
어떻게 하면
되는지
내가 어떻게
알아
내가 아는 건
네가
부족하다는
것뿐이야!

너한테 재능이
있는지 없는지
내가 어떻게
알아
네가 얼마나
노력했는지도
모른다고
내가 아는 건
네가 실력이
없다는
것뿐이야.
엄청나지 않다는
것뿐이라고!
더는
무리야!
죽어라
노력해서
너를 돌아보게
하려고,
바보취급
해주고 싶어서
겨우
이 수준까지
왔단 말이야!
그래.
너는
이 수준까지
왔어.
빠르고,
능숙하며,
안정되기
까지
했어….
그러니까
이번에는

이번에는
엄청나지라고!
빠르고,
능숙하며,
안정된 채
엄청난 녀석이
되란 말이야!
버럭
—
!?
버
럭
지금보다 더
노력하든가,
어느 날 갑자기
재능에
눈뜨라고!
뭐?
는 무리야!
떻게 해야
금보다 더
력하거나,
능에 눈 뜰 수
는데?!
그걸 내가
어떻게 알아!
네가 스스로
생각해!
생각하고,
또 생각하고,
싸우고,
또 싸우고,
이기고,
또 이겨서…
즈미도,
어떤 작가도…
사카
카네조차도
어넘으라고!

항상, 항상 말도 안 되는 평가를 마음속으로 엄청 신경썼구나.
잘못됐어도, 잘못됐다는 걸 알아도, 잘못됐기 때문에 부정했더라도
내 평가를 무시할 수 없다.
그게 카시와기 에리의 가장 큰 문제점.
그리고 창작에 있어서의 가장 큰 모티베이션.
말도 안 된다는 것을 알면서도, 무리라고 생각하며 어이없어 하면서도…
이 녀석은 내가 한 그 어떤 말이라도, 웃으면서 흘려 넘기지 않았다.
그럼, 그럼 말이야….

너, 내가
그런 작가가
되면…
된다면
내 신자가
되어줄 거야?
당연하지.

새벽
첫 전철
타고 와서
가장 먼저
줄 서서
책을 사
또
줄 가장
뒤편에
서서
또 사고
줄
서서
또 사고
몇 번이
반복하면
제한 부수까지 주세요!!
다 팔릴
때까지
사서!
아
잔돈 없어서 무리예요~
그리고
아는 사람들에게
나눠주면서
마구 포교한
후에…
마지막에
이렇게
말하는 거야.
『나, 실은
카시와기
선생님과
아는 사이야~.』
어때!!
…라고
말이야!
풉

쿡
쿡
이
동인파락호….
그게 뭐
어때서….
화해하는
건…
연기해야
겠네.

되어주겠어….
모두가 엄청나다고 인정하는 일러스트레이터가 말이야.

지금 이 순간, 사와무라 스펜서 에리리는….

너를 비롯해, 모든 사람들이 엄청나다고 인정하는 일러스트레이터가 되고 말겠어….
『egoistic-lily』의 카시와기 에리는
그래. 기다리고 있을게….

기다리라구,
이 바보야.
완벽하게
부활했다.

미안, 선배.
카토….
나는 결국
에리리와
7년 만에
화해하지
못했어.
하지만,
괜찮다.
희망은
생겼다.
에리리는
부활했다.
그러니
다시 걸음을
내디딜 수
있다.
그러니
오늘은,
그것만으로도
….

그럼 돌아가자, 토모야….
아니, 세르비스?
…응.
왜냐하면 이번에는 그녀의 손을 다시 잡을 수 있었으니까―….

부우ー……
저기.
공주님 안기로는
앞으로
100미터 정도가
한계.
이 자세라면…
너희 집까지
계속 해줄 수
있어.
왜 좀 전이랑
자세가
다른 거야?
…그건 팔이
아프거든.
어느 쪽으로
할래?
……
세르비스는
"이 정도쯤은
아무것도 아냐,
에리."라고
말했는데?
입 다물고
걷기나 해.

우리 둘은 아무 말 없이 에리리의 집까지 걸었다.

하지만 분명— 에리리의 집에 도착하면 마법이 풀릴 것이다.

이제… 도착했네.
그래.

저기, 세르비스.
왜, 에리.

헤어지기 전에… 너에게 부탁하고 싶은 게 하나 있어….

만약
내가…
멋진 왕녀가
된다면….
상을
줬으면 해.
제 14 화 END

ERIRI

시원찮은 그녀를 위한 육성방법

히로인

~egoistic-lily~

제 15
헤어지기 전에 너에게 부탁하고 싶은 게 있어….
상을 줬으면 해.
두
근
뭐….
이번 주 토요일….
유원지에 데려가줘.

제 15 화
물러서지 않고, 아양 떨지 않고,
뒤돌아보지 않는 그녀를 쓰러뜨리는 방법

로케이션 헌팅 가자.
……
……
그 날 약속한 『유원지에 데려가줘』.
—그것은 미소녀 게임 제작에 필요한 배경의 로케이션 헌팅 취재였다.
대충 예상은 하고 있었지만 그렇게 이벤트틱하게 이야기하니까….
아니, 딱히 기대한 건 아니라고
게다가….
그런데, 너….

샤라라라라랑
그 차림으로 대체 어디 가려는 거야?
당연히 유원지지.
걸 아는 애가
상류층
티 갈 때나
을 법한
드레스 차림인
냐고!
불만이라도 있어?
어쩔 수 없잖아!
오늘 유원지에 간다고 했더니 코디네이터 씨가 이걸 입혀줬단 말이야!
옷 정도는 직접 고르라고.
꼭 그렇게 쓸데없이 부르주아 티를

무리하지 마.
로케이션 헌팅
정도는
나 혼자서도
어떻게—.
네 센스를
어떻게
믿냐구.
두둥
내 눈과 연필로
확인하지
않는 한
신용할 수
없어.
그 꼴로
센스 같은
소리를
해도….
소곤…
오오오오오오오오오고
윽,
전철 시간
다 되었잖아.
오늘은
할 일이
많으니까
서두르자.
잠깐!
걸음이
너무
빠르잖아!
……

오~
꽤 오랜만에 왔네.
호락쿠엔 유원지!
더워…
반짝
자아
그럼 바로 활동을 시작해볼까!

우선….
에어컨 빵빵한 카페테리아에서 휴식!
…방금 도착했는 뎁쇼?

하~~.
이 레몬티,
맛있어.
좋은
인공감미료를
쓰는 것
같네.
쪼옥-
그런 걸
칭찬하는
거냐….
번호표 1번인
손님.
피시버거와
감자튀김이
준비되었습니다.
아,
우리
거네.
토모야.
내 피시&칩스
가지고 와.
넌
왜 그렇게까지
가짜
영국인틱한
거야?
좀 전부터
남들이 우리를
쳐다보는 것
같아.
……
힐끔
힐끔
…….
저기,
토모야.
솔
솔
유원지 이벤트의
일부라고
생각하는 걸 거야.
주로 너를
말이야.
왜
그래?

아니, 더우면 이렇게 한 발짝도 움직이기 싫어지는 거구나.
너 대체 뭘 하러 온 거야?!
이래서 허약 은둔형 동인 작가 따위를 밖에 데리고 오고 싶지 않았던 거라고…!
우선 작전회의부터 하자.
오늘은 어디어디를 돌아볼 거야?
으음, 잠깐만 기다려.
실은 우타하 선배가 지시서를 써줬어.
…카스미가오카 우타하의 명령대로 움직이는 거야?
그건 싫어.
너, 진짜 뭐 하러 온 거야….

으음.
펄럭
우선 가장 중요한 건 역시 풀장이네.
그것도 먼데서 보는 경치만이 아니라
풀장 안에 들어갈 필요가 있을 것 같아.
그, 그래….
…들어갈 거야?
여기서는 카메라를 쓸 수 없으니까, 괜찮다면 에리리가 스케치 해줬으면 해.
수영복이 없으면 빌리면 돼.
뭐, 일단 수영복을 가지고 오기는 했는데….
즉, 이 풀장에서의 스케치야말로 오늘 에리리를 데리고 온 최대의 메리트다!
넙죽
부탁해, 에리리.
나의
우리의 꿈을 위해서!
……

그렇게
보고 싶어?
수영복
입은 나를.
…보고
싶어?
윽
뭐?!
…윽!
아니,
그게 아니라
배경
소재를….
게임을
완성하기
위해서
말이야!
허둥
나,
왜 동요하는
거야….
두근
두근
두근
이래서야
진짜로
수영복 입은
에리리를
고 싶은 것
같잖아.

와아
꺄아
꺄아
와아
아니!
엉큼한 마음은
눈곱만큼도
없어!
악
두근
두근
두근
이건 최강의
미소녀 게임을
만들기 위해
필요한―.
토,
토모야?
에,
두근
두근
두근
두근
두근
에리리
….
두근
두근
―윽!
움찔
……

그런데
어디서 보는 풀장을 스케치하면 돼?
두근두근
야
토모야. 내 말 듣고 있어?
야
으, 응.
이, 이게 선배가 준 지시서야….
척
나는 왜 저렇게 빈약한 여자애의 수영복 차림을 보고
미소녀 게임의 히로인 같다고 생각한 거지…?!
…이게 뭐야.
응?

배경 16 : 유원지 풀장
등장 캐릭터 : 서브 히로인 (소꿉친구)
배경 구도 : 가능하면 풀 안에 들어간 시점 요망
지나서
이벤트 내용 : 서브 히로인
카와무라 스파이더 키라리(가명)와 풀장에 간 주인공.
하지만 그곳에서 소꿉친구 히로인
키라리(가명)의 비키니 상의가 벗겨진다는
전형적 이벤트 발생.
아
야
야.
꺄
아
허둥지둥 가슴을 가리는
영국계 혼혈 아가씨 키라리(가명)와의
이벤트를 코미컬하게 그린다.
한편, 유아 체형
히로인 키라리(가명)는
가슴에 굴곡이 없어 비키니 상의가 걸리지 않기 때문에
또 금방 벗겨지고 만다(웃음)

……
그 암흑 작가…!!
어, 어라~?
이, 이야
이건 꽤 코미컬한 이벤트네!
그렇지?
저벅 저벅
자, 슬슬
나, 좀 전의 카페에 가 있을 테니까
스케치는 네가 해.
저벅 저벅
에
에리리?!
절대 풀장에 안 들어갈 거야….
평생 안 들어가는 한이 있더라도.
아
아하
아하하…

RLUCKS CO
다
다녀왔어.
후들
후들
늦었잖아!
빨리 보여줘.
펄럭
펄럭
펄럭
네가 없는 사이에 남자들이 나한테 말을 걸었단 말이야! 그것도 다섯 명이나!
정말….
이 정도 러프 스케치에
왜 이렇게 시간이 걸린 거야?
푸욱
푸욱
아~, 거 정말 합니다~.

사각
사각
사각
헤에….
아니, 역시 프로라는 생각이 들어서 말이야.
…왜 그래?
내가 그린 배경은 흔적조차 남지 않았군. …그것도 좋은 의미에서 말이야.
역시 대단해…
흥
추켜세워도 너한테 아무 것도 안 나와
이렇게 보니 에로 동인 작가라는 길 외에도
에리리에게는 많은 길이 열려 있구나….
너는
장래에 어떻게 할 거야?
찌직
아아아아 아아아 아아아

뭐, 뭐어? 토모야, 뭐야?
화아아아악
그게 무슨….
대학에 갈 거야? 아니면 미대? 아니면 바로 상업작가를 목표로 하는 거야?
…라는 걸 물었던 건데 왜 그렇게 놀라는 거야?
~~으!
그딴 거 아직 안 정했을 게 뻔하잖아!
그래.
안해.
이 녀석의 역린이 달려 있는지 아직도 모르겠어….

…그
나는 그렇다 치고 토모야야말로 어떻게 할 거야?
응? 나?
이 화제를 계속 이어가려는 거냐….
일전의 진로 조사 용지에 뭐라고 적었어?
문과? 이과?
3학년이 되면 문과와 이과로 반이 나뉘지?
그건 아무 쪽이나 상관없어.
나는 일단 취직 쪽을 생각하고 있거든.
우뚝
어….
토모야….
진학하지 않을 거야…?

아버지의 등을 바라보면서 계속 자랐잖아.
빨리 아버지처럼 일하고 싶어.
뭐, 확실히 대학에 가는 편이 견식이 넓어진다는 건 인정하지만 말이야.
렇구나…. 진지하게 각하고 있네.
게다가 나는 정사원의 급료가 얼마인지 알아.
한 달 봉급으로 게임을 몇 개나 살 수 있다고!
아아, 어른의 수입은 왜 이렇게 매력적인 걸까….
곤란해….
에리리?

나, 고졸은 곤란해….
네 말투에서 현실미가 마구 느껴지거든?!
으 으음 미안해…
그래도 네가 대학에 안 가면 곤란해.
왜 네가 곤란한 건데?
으응.
내가 아니라 우리 집이….
아니, 그러니까 왜 스펜서 가문이?
……
왜… 왠지 거북한 분위기가…!
하, 하하….
다음 지정 장소는 어디려나~.
펄럭

배경21 : 유원지에 있는 귀신의 집
등장 캐릭터 : 서브 히로인(소꿉친구)
배경 구도 : 귀신의 집 안, 메이저한 귀신
지이익
이벤트 내용 : 서브 히로인, 카와무라 스파이더 키라리(가명)와
이번에는 귀신의 집에 간 주인공.
하지만 그곳에서
상류층 아가씨 히로인 키라리(가명)가
호러물을 엄청 싫어한다는 사실이 판명되는
전형적 이벤트 발생.
꺄아아 아아아아
패배자 히로인 키라리(가명)는
우타하
선배.
공포에 질린 나머지 맛이 간 얼굴로
더블 피스를 한다는 추태를 부리고 만다(웃음).

그 후
결국
에리리와 대화를
나눌 계기를
찾지 못한 채
시간만
흘러갔다
—….

스윽…
문 닫을 시간 다 됐네.
그럼 돌아가자.
남은 사진은 메일로 보내줘.
개학 전에 작업을 본격적으로 시작할 거야.
에리리….
이걸로 로케이션 헌팅은 끝.
나도 우타하 선배가 지정해준 모든 미션을 완수했다.
딱 하나를 빼고──….
으…
미안한데
실은 아직 안 간 곳이 한 군데 있어.
그래?
그럼 나는 먼저 돌아….
아니.

배경47(추가) : 유원지 관람차
등장 캐릭터 : 금일 한정 메인 히로인(소꿉친구)
배경 구도 : 관람차의 좌석에 마주 보고 앉아
맞은 편 좌석을 바라보는 구도로.

이벤트 내용 : 주인공(아키 토모야) 하기 나름.

아.
저기,
너희 집
아냐?
우리
집은….
역시
안 보이네.
……
끼아…
끼아…
아직도
화가 나있는 건
아닌 것 같네….
저기
에리리.
오늘은
고마웠어.

…으
딱히
고맙다는 말을 들을 일은 안 했어.
그렇지 않아 배경 쪽은 단숨에 진도가 나갔잖아.
에리리가 열심히 해줬기 때문이야…
서클을 위해서 말이야.
그건…
딱히 할 일이 없어서….
내가 본심을 털어놓자마자 기세가 꺾이는 게 이 드센 아가씨의 약점.
나,
나는….

감사 받을 이유 따위 없어….
오늘 내 태도가 나빴다는 건 나도 자각하고 있구.

그래도 이건 받아줘.
반짝
어….
내 감사의 뜻이야.

만약 우리가 다른 길을 가게 되더라도….
진로도, 서클도, 혹시 사는 동네도 달라지더라도….

낮에 혼자서 로케이션 헌팅을 하면서 계속 생각했다.

에리리가 왜 입을 다문 것인지.
무엇 때문에 불안을 느낀 건지를.

나는 항상
에리리와 같이
있고 싶어.
화끈
○△×~~~~!?

아… 저기…
그게… 갑자기
그런 말을
해도…
꺄아아아아
무슨 일이
있어도
오타쿠는
관두지
않을 거고,
코믹마켓에도
계속 갈 거야.
그러니까…
나는 영원히
에리리와
오타쿠 동료로
지내고 싶어.
두둥
딱히…
싫은 건
아니지만….
…
얏
오타쿠
동료…
……
?
하아
…그것
보다
요즘 세상에
이런 걸 받고
기뻐하는
여자애가
있을 거라고
생각해?
HOURAKUEN
YUUENTI
걱정하지
마.
남자 중에도
그딴 걸 받고
기뻐하는 애는
내가 아는
녀석들 중에는
없거든.
아하….

끼이…
끼이…
저기, 토모야.
응?
안경 벗어봐.
어….
그리고
눈 감아.
에…
에리리…?

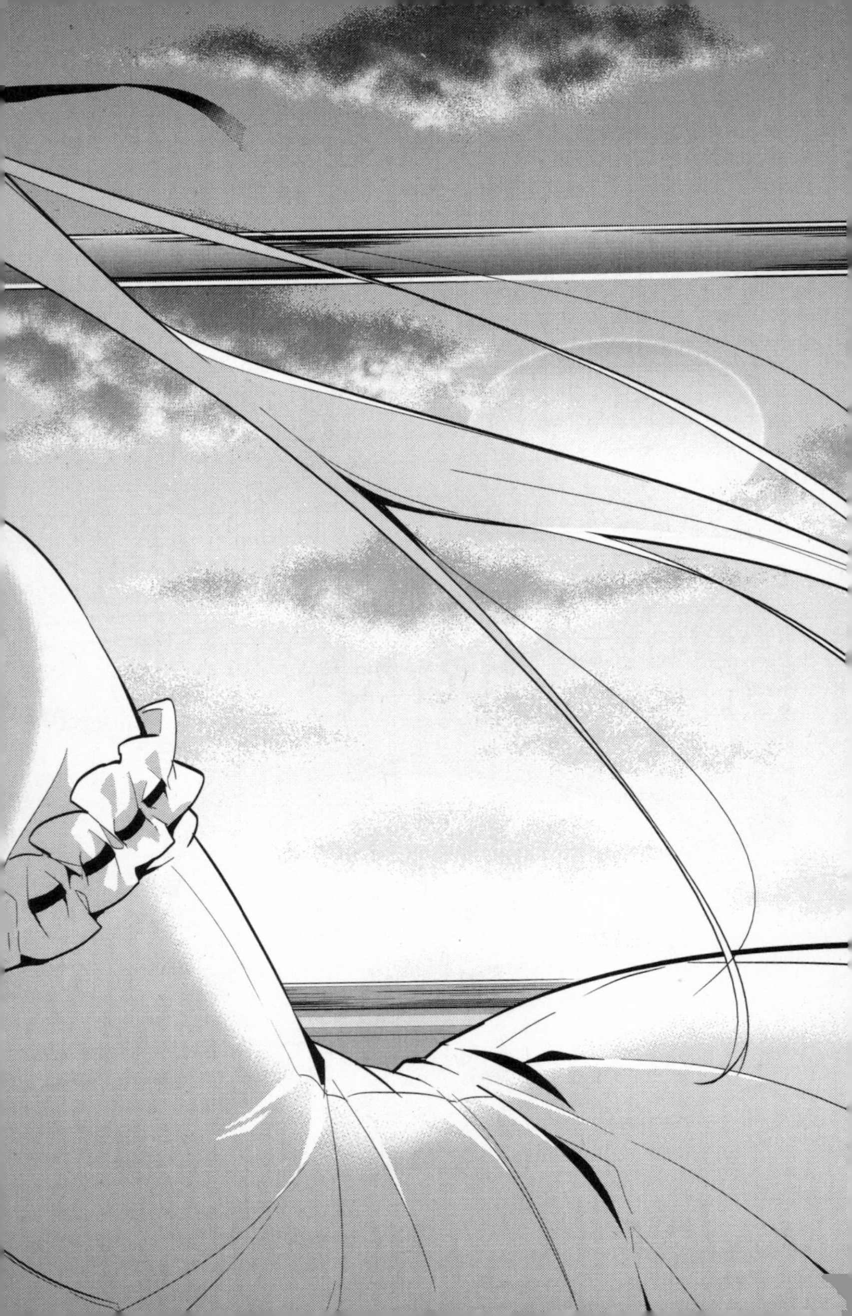

아쭈
삭
삭
삭
다 됐어.
토모야….
…?
삭각

자.
이게….
주인공인
세이지야.
…너무
미남 아냐?
미화되기는
했지만
베이스는
안경을 벗은
내가
분명하다.
이 녀석이
우리가
만드는 게임의
주인공….
네가….
주인공
이니까.
어?
방금
뭐라고
—.

제대로
공략하라구!

두근
이 러프, 너 줄게.
이미 디자인은 머릿속에 새겼으니까 이제 이 러프는 필요없어.
자… 돌아가자.
토모야.

며칠 후
쾅
고함지르면서
흥분하지 마,
사와무라 양.
카스미
가오카
우타하!
이 유원지
시나리오는
뭐야?!
아,
그건….
펄럭
적당히
해~~!!!
토모야!
너~~.

배경48(추가) : 유원지 관람차 밖
등장 캐릭터 : 서브 히로인(소꿉친구)
배경 구도 : 관람차에서 나온다
아벤트 내용 : 서브 히로인 카와무라 스파이더 키라리(가명)와
관람차 안에서 좋은 분위기를 만드는 주인공
하지만 상류층 아가씨 히로인 키라리(가명)는
남성 경험이 전혀 없는 숙맥 처녀인 탓에,
최대의 찬스를 살리지 못하고
아무 일도 없이 이벤트 종료
패배자 히로인 키라리(가명)는
분하고 쓸쓸한 나머지
집에 돌아간 후, 방에서 홀로 자기 자신을 위로하고 만다(웃음)

우타하 선배….
윤리 군은 입다물어.
어라. 왠지 우타하 선배의 태도가 차가워.
뭐, 우리한테 유원지에서 있었던 일을 이야기한 아키 군 잘못이야.
납불 납불
뭐
어라? 카토까지?
제대로 공략하라구.
그때, 그런 말을 한 후로
에리리도 의욕을 보이고 있는데….
아아아
아무튼
이런 시나리오는 절대 허용 못해!
핵심을 너무 정확하게 찔러서 상처 받았나 보네.
미안해. 사와무라 양.

그…
그렇지 않아.
고백도 제대로…. 받았구….
윤리 군에게 그런 주변머리가 있다고 생각해?
착각 속에 사는 여자는 정말 불쌍하다니깐.
시끄러워.
나는 너 같은 망상병 환자가 아니라구!
아아…
오늘도 우리 서클은 정상 영업 중이네….

뭐, 그것도
괜찮겠지─.
제 15 화 END

시원찮은 그녀를 위한 육성방법

히로인

~egoistic-lily~

후기

「시원찮은 그녀를 위한 육성방법」의 애니메이션화가 결정된 걸 정말 축하드립니다.
이 작품에 관여하게 되어 정말 영광입니다.
마루토 선생님과 미사키 선생님, 모리키 선생님, 무샤사부 선생님의 더 큰 활약을 기원합니다.

원작에서 승자가 되는
히로인이 카토 양일지, 에리리일지,
우타하 선배일지, 이즈미일지는 아직 모르겠지만….

제가 그리는 에리리 루트의 만화는 이번 권이 최종권입니다만,
앞으로의 원작 전개를 한 명의 독자로서 기대하고 있겠습니다.

그럼 마지막 권까지 애독해주셔서 감사합니다!

Special Thanks!!

마루토 후미아키 선생님
미사키 쿠레히토 선생님
담당 키시다 씨
문고 담당 하기와라 씨
디자이너 노죠 씨
어시스턴트
야시로가와 씨, AIR 누님
가족 여러분

시원찮은 그녀를 위한 육성방법
원작 소설
egoistic-lily~
「너를,
모든 이들의 가슴을
두근거리게 하는
메인 히로인으로
만들어 주겠어!!」
마루토 후미아키 지음
미사키 쿠레히토 일러스트

시원찮은 그녀를 위한 육성방법 1

시원찮은 그녀를 위한 육성방법 ~egoistic-lily~ 3권

1판 1쇄 발행 2015년 3월 10일
1판 4쇄 발행 2017년 5월 12일

만화_ Neet
원작_ Fumiaki Maruto
캐릭터 원안_ Kurehito Misaki
옮긴이_ 이승원

발행인_ 신현호
편집부장_ 김은주
편집진행_ 최은진 · 김기준 · 김승신 · 원현선 · 김솔함
편집디자인_ 양우연
국제업무_ 정아라 · 고금비
관리 · 영업_ 김민원 · 이주형 · 조인희

펴낸곳_ (주)디앤씨미디어
등록_ 2002년 4월 25일 제20-260호
주소_ 서울시 구로구 디지털로 26길 111 JnK디지털타워 503호
전화_ 02-333-2513(대표)
팩시밀리_ 02-333-2514
이메일_ lnovelpiya@naver.com
L노벨 공식 카페_ http://cafe.naver.com/lnovel11

원제 Saenai heroine no sodate-kata ~egoistic-lily~ Vol.3

ISBN 978-89-267-9881-2 07830
ISBN 978-89-267-9839-3 (세트)

값 5,000원